当代书法名家◎中国书法家协会草书专业委员会专辑

李章庸

海风出版社
HAIFENG PUBLISHING HOUSE

图书在版编目（CIP）数据

李章庸专辑/李章庸书.—福州:海风出版社，2008.11
（当代书法名家.中国书法家协会草书专业委员会专辑；13/胡国贤，李木教主编）
ISBN 978-7-80597-829-1

I.李… II.李… III.草书—书法—作品集—中国—现代 IV.J292.28

中国版本图书馆CIP数据核字（2008）第177066号

当　代　书　法　名　家
中国书法家协会草书专业委员会专辑
李章庸 专辑

策　　划：焦红辉
主　　编：胡国贤　李木教
责任编辑：叶家佺　刘　伟　吴德才
装帧设计：刘　伟
责任印制：傅　强　吴尚联

出版发行：海风出版社
(福州市鼓东路187号　邮编:350001)
出 版 人：焦红辉
印　　刷：福州青盟印刷有限公司
开　　本：889×1194毫米　1/16
印　　张：4印张
版　　次：2008年11月 第1版
印　　次：2009年3月 第1次印刷
书　　号：ISBN 978-7-80597-829-1/J·177
定　　价：798.00元 (全套21册)

李章庸 1948年出生于浙江省义乌市佛堂，号赤松山樵、佛堂居士。现为中国书法家协会草书专业委员会委员，浙江省文学艺术界联合会委员，浙江省书法家协会副主席，金华市书法家协会主席，义乌市政协常委。并曾担任义乌市侨联主席等职务。为1997年全国第三届楹联书法展评委，2005年全国『高恒杯』评委，2006年第二届兰亭展『安美杯』评委，2006年全国首届行书展监委，2006年全国首届草书展监委。

参展：一九八六年全国第二届中青年书法篆刻家作品展、一九八七年全国第三届书法篆刻作品展、中日刻字交流展、一九八八年中日书法交流展、当代大陆书法精英展、一九八九年全国第四届书法篆刻作品展、一九九〇年全国第三届中青年书法篆刻家作品展、一九九二年全国第五届书法篆刻作品展、一九九三年全国第五届中青年书法篆刻家作品展并获优秀奖展、一九九五年全国第六届书法篆刻作品展、全国第六届中青年书法篆刻家作品展、一九九七年全国第七届中青年书法篆刻家作品展并获三等奖、一九九九年全国第七届书法篆刻作品展、全国第三届楹联书法作品展、二〇〇〇年全国第八届中青年书法篆刻家作品展、全国著名书法家作品邀请展、二〇〇二年第一届中国书法家协会会员优秀作品展。

出版作品：一九八八年入选《中国当代墨宝集》，一九九四年入选《中南海珍藏书法作品集》，一九九七年入选《中国现代美术全集·书法卷》，一九九九年入选《历届全国展中青展获奖作者书法集》，二〇〇四年出版《李章庸书法集》，二〇〇七年出版《李章庸行草册》。

序

两个多月前，经李木教委员搭桥，由海风出版社出版《当代书法名家》丛书，第一辑为中国书法家协会草书专业委员会专辑，每个委员一卷，既能反映每位书家个人的艺术风采，又能体现草书委员会的整体实力、整体风貌，还能彰显当代草书创作的一些境况和情势，一举多得，令人兴奋。

草书专业委员会成立于2006年，是中国书法家协会下设的几个专业委员会之一，职责是专事草书方面的研究、创作等。共有委员二十一人（原二十二人，副主任周永健先生今年五月因病故去）。年龄最大者六十几岁，最小者三十几岁，都是活跃在当今书坛的实力派书家。

这二十位书家，每个人都在草书上卓有建树，功力既深，格调亦高，个性风格鲜明而强烈。他们都以传统为师，在传统中孜孜以求，精益求精。并在此基础上，广涉博取，锐意开拓，大胆突破，开辟新境界。因而他们的作品无论气象还是内涵上，都很耐人寻味，颇富艺术感染力。

海风出版社将这么多书家和他们的作品结集出版，诚是一着高棋，定会令人一饱眼福，并从中获得一些有益的启示。

本人作为草书委员会的一员，能和诸书友一道共同参与这个盛事，深感荣幸。借本书出版之际，谨向海风出版社表示诚挚的谢意。希望本书能受到欢迎。也诚望能得到批评指正，以期有更大的长进，不辜负书友和同道们的厚望。

聂成文

二〇〇八年八月八日

目录

◎条幅　李商隐诗一首……2
◎条幅　黄山谷论书……3
◎斗方　徐渭纪游一则……4
◎条幅　李偶跋文赋……6
◎行书　山谷题跋一则……8
◎行书　石林燕语一则……10
◎条幅　东陂题跋一则……12
◎条幅　陆游诗一首……13
◎行草　蔡襄题跋一则……14
◎乾隆题伯远帖……16
◎斗方　欧阳修论书一则……17
◎斗方　四友斋书论一则……18
◎条幅　薛绍彭手札一则……20
◎条幅　董其昌题跋一则……21
◎行书　老学庵笔记一则……22
◎条幅　清润书屋随笔一则……24
◎条幅　三垣笔记一则……25
◎横幅　赵孟頫题跋一则……26
◎对联　残去疏雨……28
◎条幅　陈师道诗一首……29
◎行书　四友斋书论一则……30
◎条幅　杜甫诗一首……32
◎对联　随风润物……33
◎行书　山谷题跋一则……34
◎斗方　董其昌题跋一则……36
◎条幅　文嘉论书……38
◎横幅　李偶题跋一则……40
◎条幅　苏东坡题跋一则……42
◎条幅　王昌龄诗一首……43
◎条幅　杜甫诗……44
◎条幅　杜甫初月诗……45
◎条幅　东坡题跋一则……46
◎条幅　默卿诗一首……47
◎行书　徐渭小品一则……48
◎条幅　王昌龄诗一首……50
◎条幅　东坡论书一则……51
◎横幅　山谷题跋一则……52

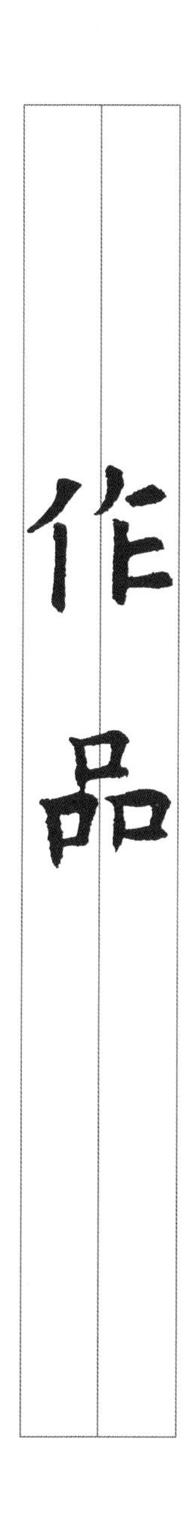
作品

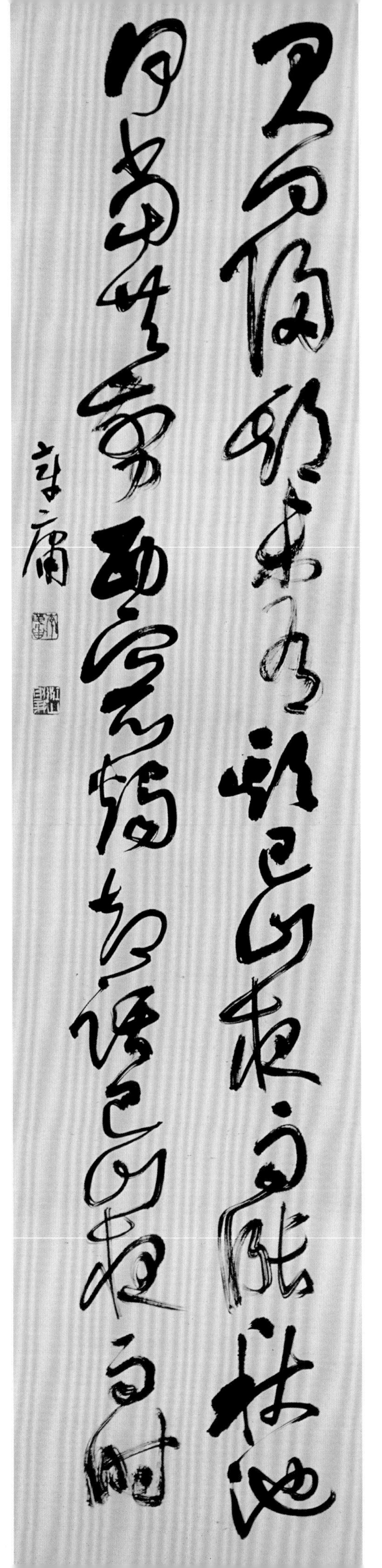

君问归期未有期，巴山夜雨涨秋池。
何当共剪西窗烛，却话巴山夜雨时。

苏公长年书，笔力豪壮，兼李邕、徐浩之所以长，士大夫乃以为不如少时书。此阳春白雪难为和者耶。

清明日景純書先儀時與門人國
圖馬生寫宛委山龍瑞宮之東若
耶溪上稚舍過吳承甫胡應
斗攜笋茗來訪燒燈夜坐
約明日步陽明洞天從郡山中
越涉廣孝寺明日至廣孝一
登看竹樓而下飲於平水溪橋

梨花樹下之酒家寺門有古樹五六皆十尋老人云盤古皇之社基樹蒼蒼點點皆入云際時萬歷改元二月之二十六日徐渭紀遊一則章甫

清明日景纯书竟笺，时与门人，国图马生寓宛委山龙瑞宫之东若耶溪上樵舍。适吴承甫、胡应斗，携笋茗来访，烧灯夜坐，约明日步阳明洞天，从郡山中越陟广孝寺。明日至广孝一登，看竹楼而下，饮于平水溪桥梨花树下之酒家。寺门有古树五六，皆十寻，士人云：盘古皇之社基树，苍苍点点，皆入云际。时万历改元二月之二十六日

近观绛帖，有陆书得告二十五字，笔法意韵与此书全不相类。其他书又与此并看，虽点画参差亦各有妙处。故晋唐能（书）者，断不如印板一一相似，政要如浮云变化，千态万状，一时之书，一时之妙也。识者知余言之不妄。

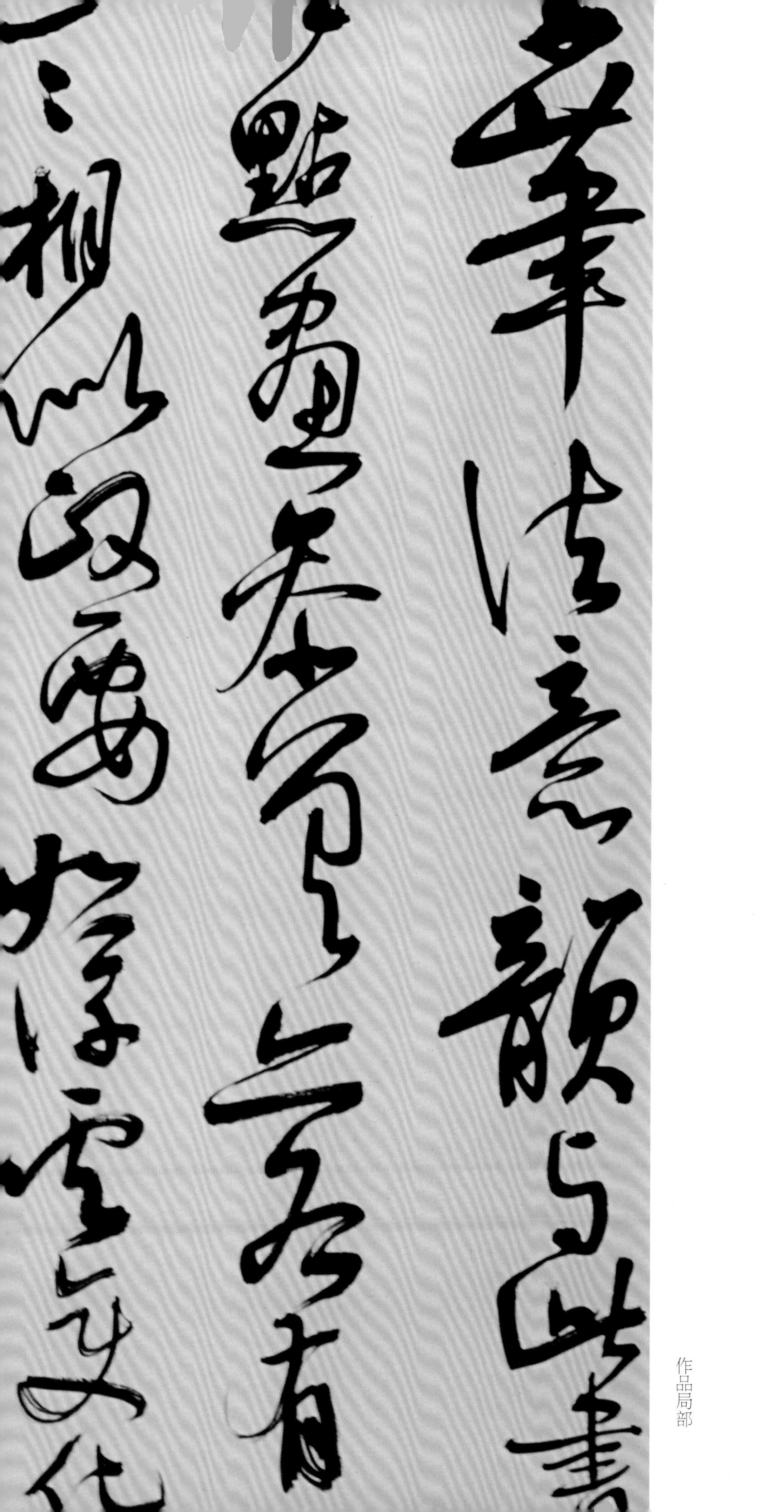

作品局部

十七帖者必多臨本
永禪師及虞世南
褚廷誨臨寫皆不
甚遠坡公有數本
昔曾閱此帖全是廷誨

筆意如楊雄蜀
都以下似拙寫真
但神癡耳

十七帖者，必多临本，永禅师及虞世南、褚廷海临写，皆不甚远。故世有数本皆不同，此帖全是廷海笔意，如杨雄蜀都以下，似拙写真，但神痴耳。

司馬温公自少稱迂叟著迂書四十一篇韓魏公晚號安陽戇叟文潞公號伊叟歐陽文忠公號六一居士以棋琴書酒集古碑為五而自老其一嘗著六一居士傳蘇子瞻謫黃州號東坡居士東坡其所居

坡也晚有号老泉山人以眉山先茔有
老翁泉故云
子由有岭外归许下号颍滨遗老
亦自为传家有遗老斋盖元祐
人至子由存者无几矣
石林燕语一则
章甫

司马温公自少称迂叟，著迂书四十一篇，韩魏公晚号安阳戆叟，文潞公号伊叟。欧阳文忠公号六一居士，以棋、琴、书、酒、集古碑为五而自当其一，尝著六一居士传。苏子瞻谪黄州，号东坡居士，东坡其所居地也。晚有号老泉山人，以眉山先茔有老翁泉，故云。子由有岭外归许下，号颍滨遗老，亦自为传。家有遗老斋，盖元祐人至子由，存者无几矣。

吾醉后能作大草，醒后自以为不及。然醉中亦能作小楷，此乃为奇耳。

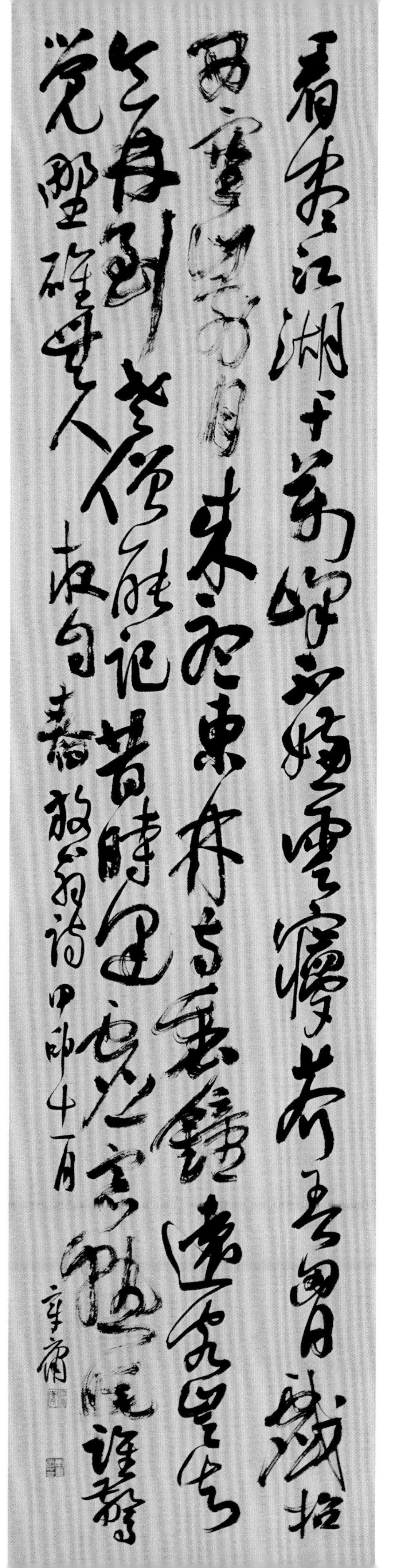

看尽江湖千万峰，不嫌云梦芥吾胸。
戏招西塞山前月，来听东林寺里钟。
远客岂知今再到，老僧能记昔时逢。
虚窗熟睡谁惊觉，野碓无人夜自春。

古之善书者先楷法，渐而至于行草，亦不离于楷法。张芝与旭、素，怪而不常，出于笔墨蹊径之外，神逸有余，而与羲献异矣。

古之善书者必先楷法，渐而至于行草，亦不离于楷法。张芝与旭变怪不常，出于笔墨蹊径之外，神逸有余，而与羲、献异矣。襄近年粗知其意，而力已不及，乌足道哉。

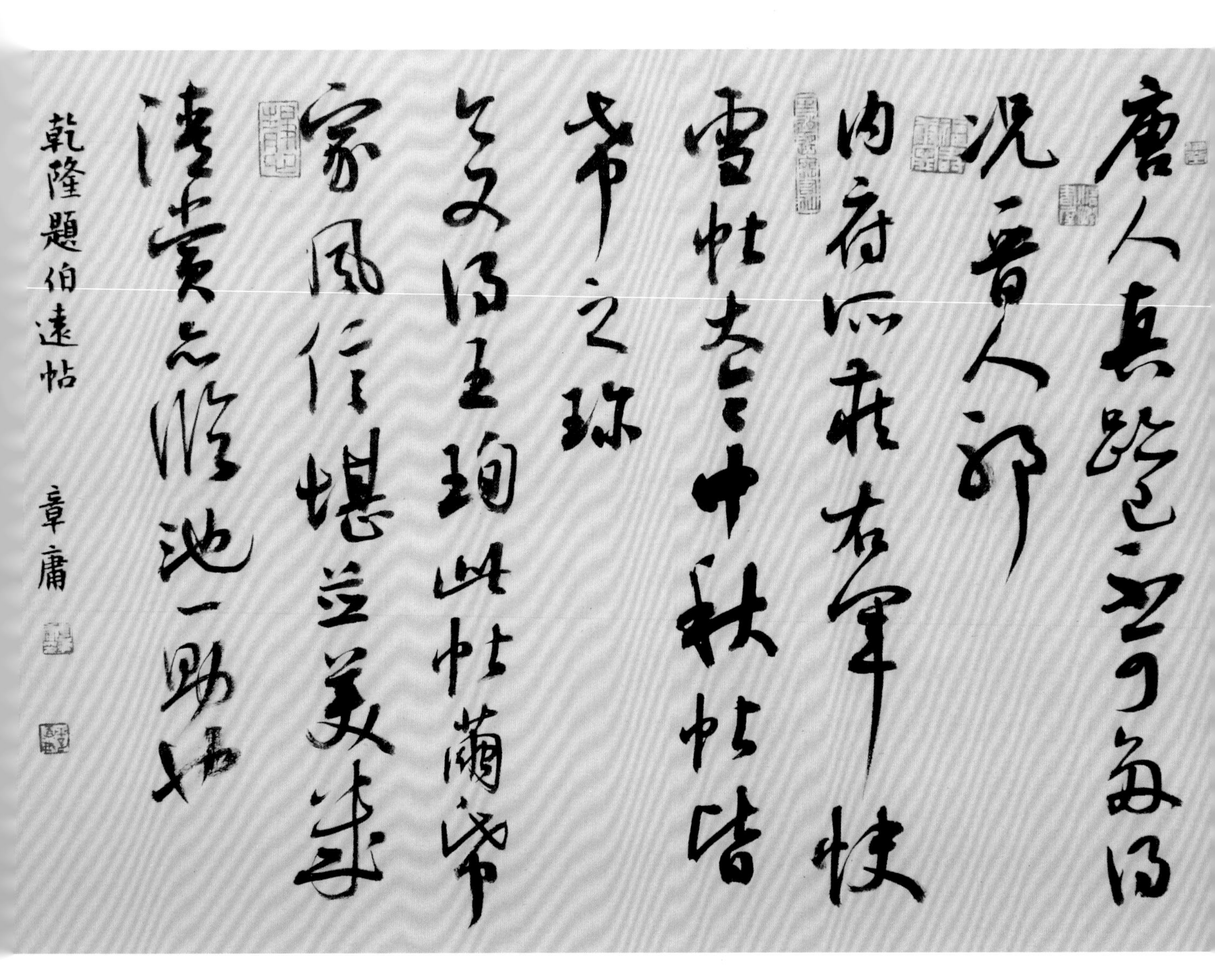

唐人真迹已不可多得，况晋人耶！内府所藏右军快雪帖，大令中秋帖，皆希之珍。今又得王珣此帖（幅）茧纸家风信堪并美！几（余）清赏亦临池一助也。

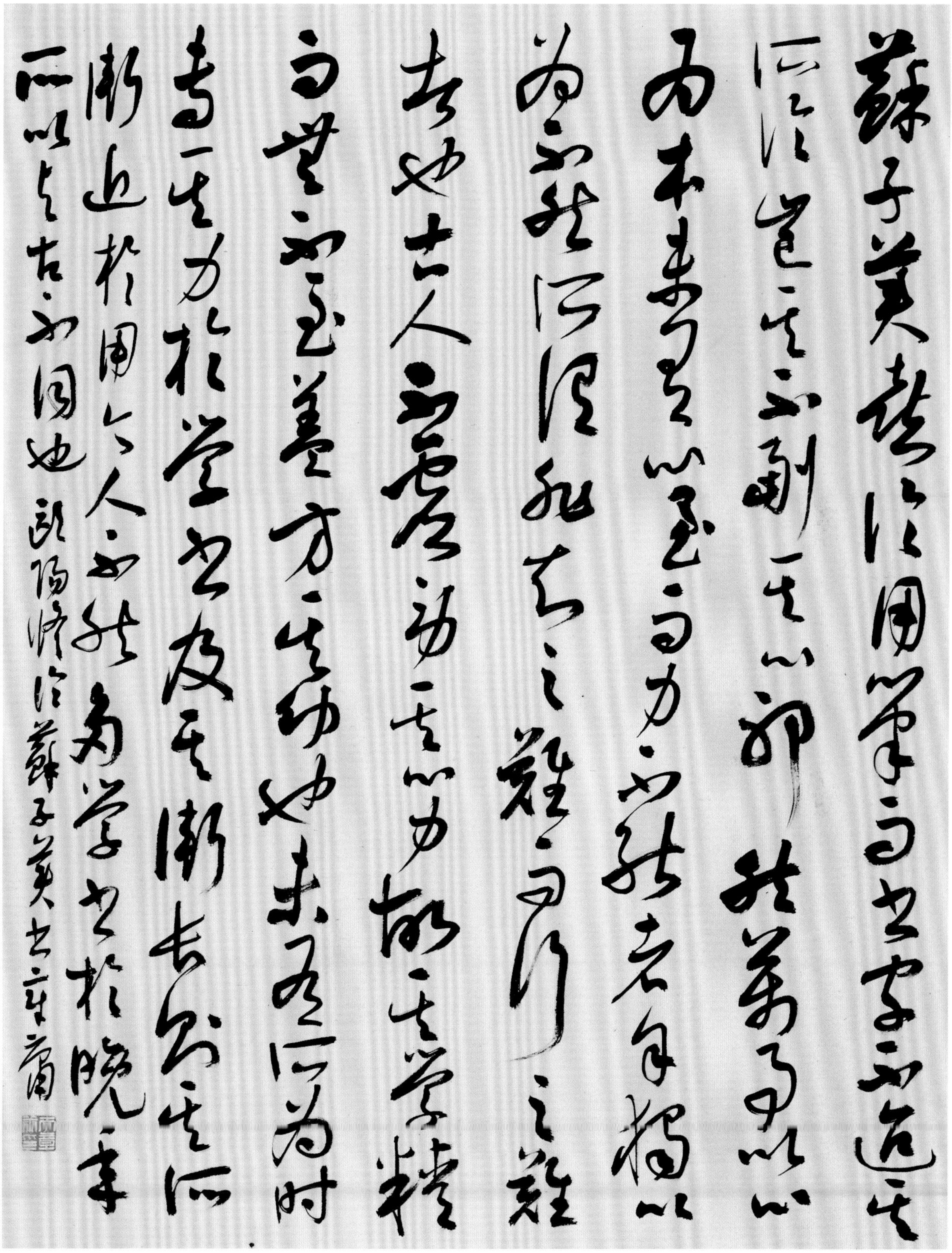

苏子美喜论用笔，而书字不迨其所论，岂其力不刚其心耶？然万事以心为本，未有心至而力不能者。余独以为不然。（此）所谓非知之难，而行之难者也。古（之）人不虚劳其心力，故其学精而无不至。盖方其幼也。未有所为时，专其力于学书。及其渐长，则其所（学）渐近于用。今人不然，多学书于晚年，所以与古不同也。

顏魯公小字麻姑仙壇記此正東坡所謂小字寬綽而有餘者也蓋自大以縮小趙集

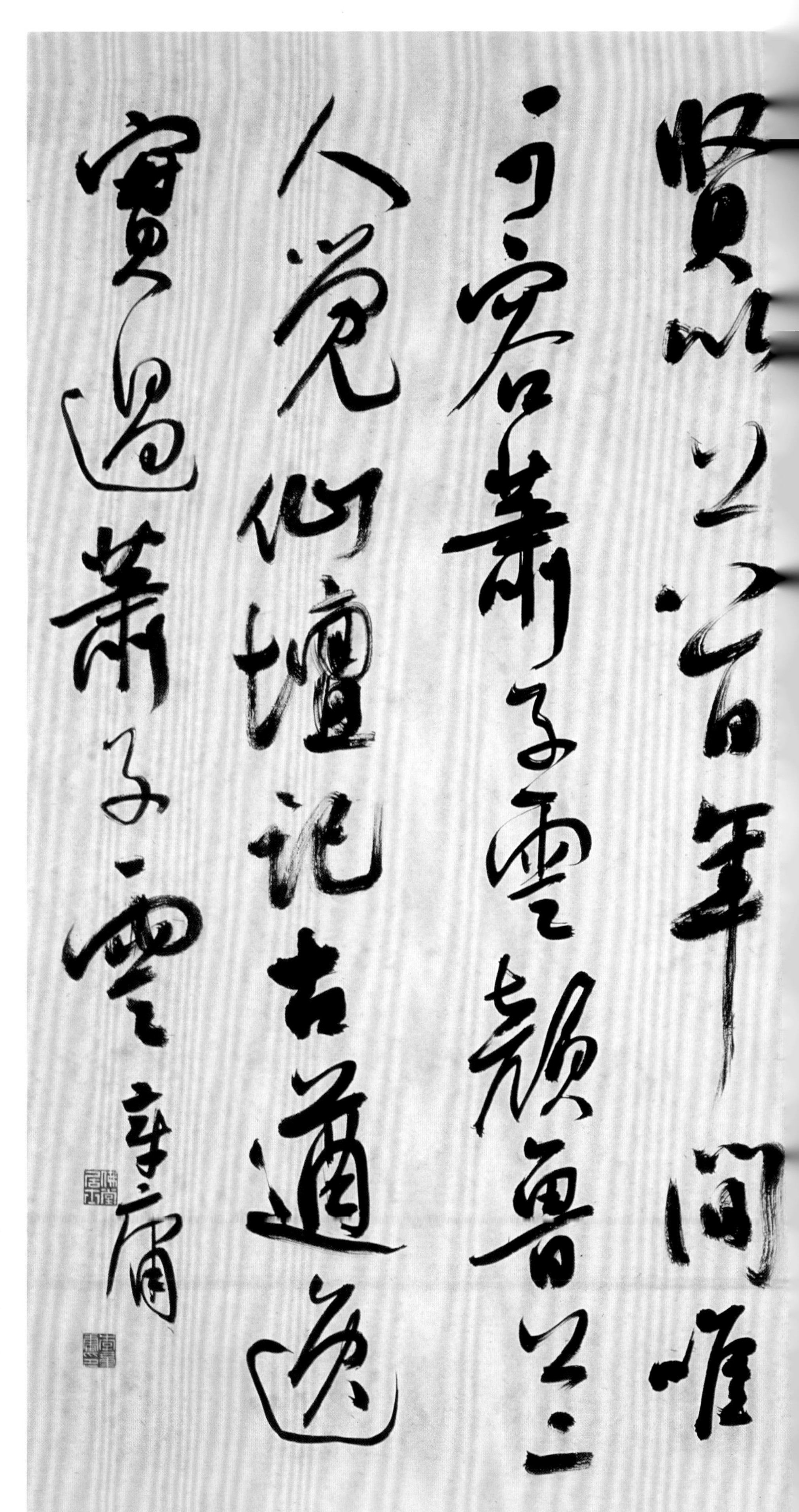

颜鲁公小字麻姑仙坛记，此正东坡所谓小字宽绰而有余者也。盖自大令以下，赵集贤以上，八百年间，唯可容萧子云、颜鲁公二人，觉仙坛记（奇）古遒逸，实过萧子云。

薛绍彭手札

昨日得米老书，欲来早率吾人过天宁，素饭，饭罢，阅古书，然后同访彦昭，想亦尝奉闻左右也。侵晨求见，庶可偕行，幸照察。

右平原真迹，有宋徽宗缥字及宣政小玺盖右军以前元常以后，唯存此数行为希代宝，余所题签在辛卯春，时为庶吉士，韩宗伯方为馆师，故时时得观名迹，品第甲乙以为最惜无善摹者，予刻鸿堂帖，不复能收之耳。

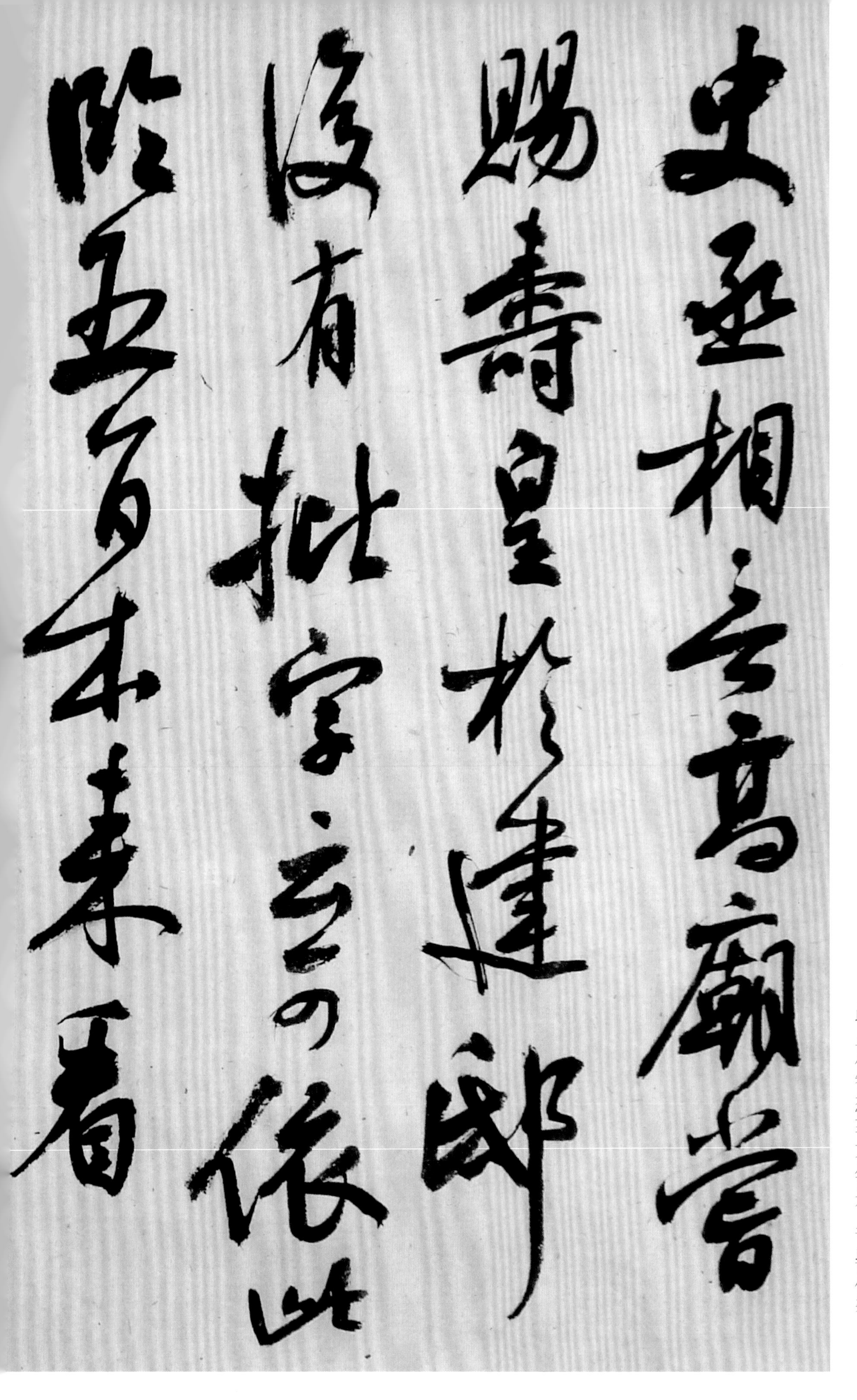

史丞相言，高庙尝赐寿皇于建邸，后有批字云：可依此临五百本来看。盖两宫笃学如此，世传智永写千文八百本，于此可信矣。

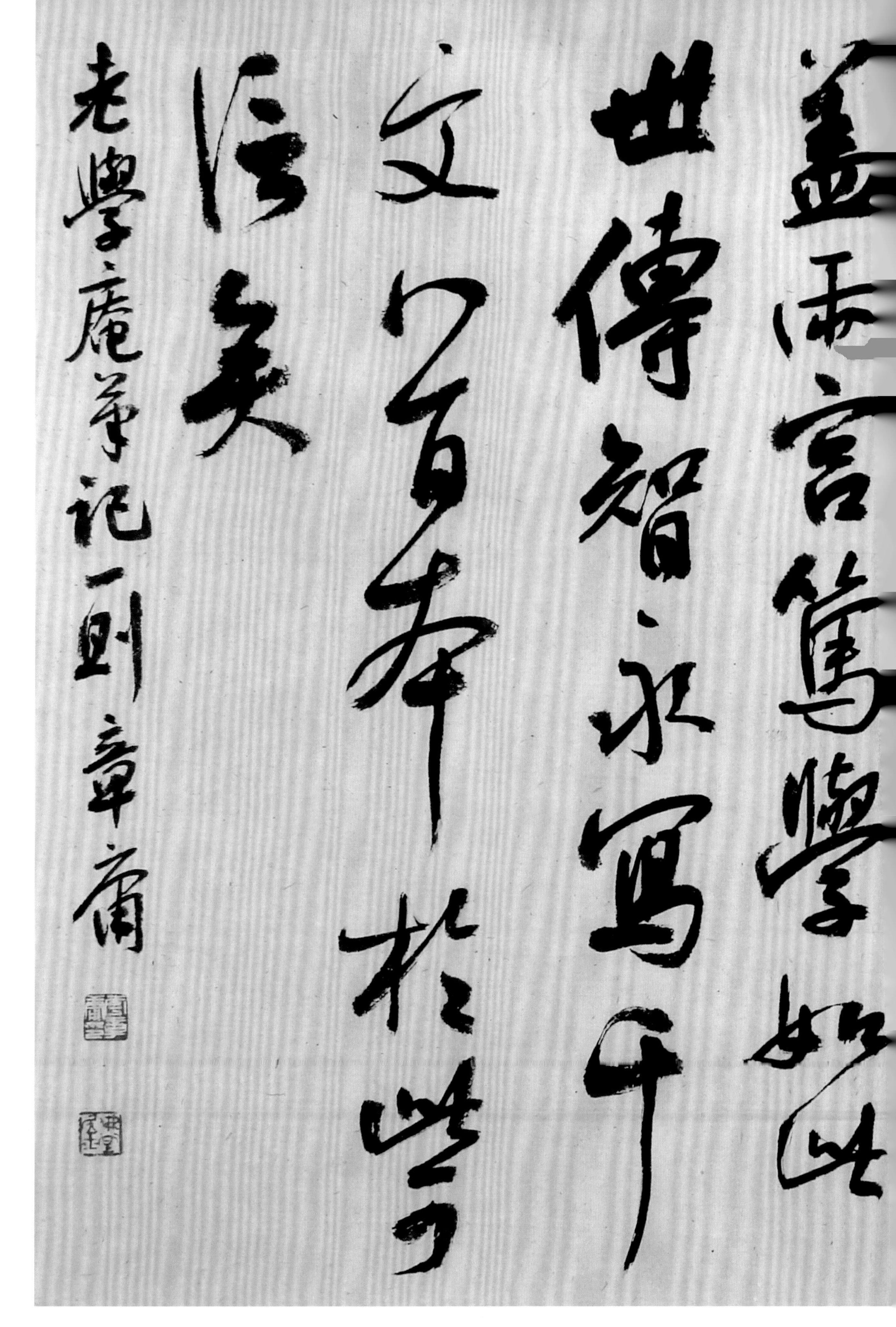
世傳智永寫千
老學庵筆記一則 章甫

甲申三月，余偶得蜀僧大休梅花图一幅，画上题跋云：『余写梅花多不点心，每有至问者可知远山无崖，远水无波，远人无目，即识此意。况夫写梅最重者，骨格穿插精神与折枝相异耳。』观此乃画家之要诀也。

质慎库图书百万卷，皆宣和所藏，为金自汴梁运入燕者，历元乃国初无恙，徐达下大都时封记宛然，至国破皆失散不存，闻者惋叹。三垣笔记一则

昔米南宫谓：“东坡画字、山谷描字”。后人遂以斯言为二公优劣。殊不知米老当日特为二公运笔迟缓而发耳。今观于山谷之书，纵横流丽亘绝古今，其得意之际，即颠翁犹尝避席，况其下耶。以正公诗中所云：“文湖州之用笔，有成竹于胸中者也。”

枝源麗互絕古今其得意之際即出猶揖讓避席況其下耶此正以詩中所云文湖州之用筆有成竹於胸中者也

趙子昂跋　章甫

残云归太华
疏雨过中条

水净偏明眼，城荒可当山。
青林无限意，白鸟有余闲。
身致江湖上，名成伯季间。
日题归雁尽，坐待暮鸦还。

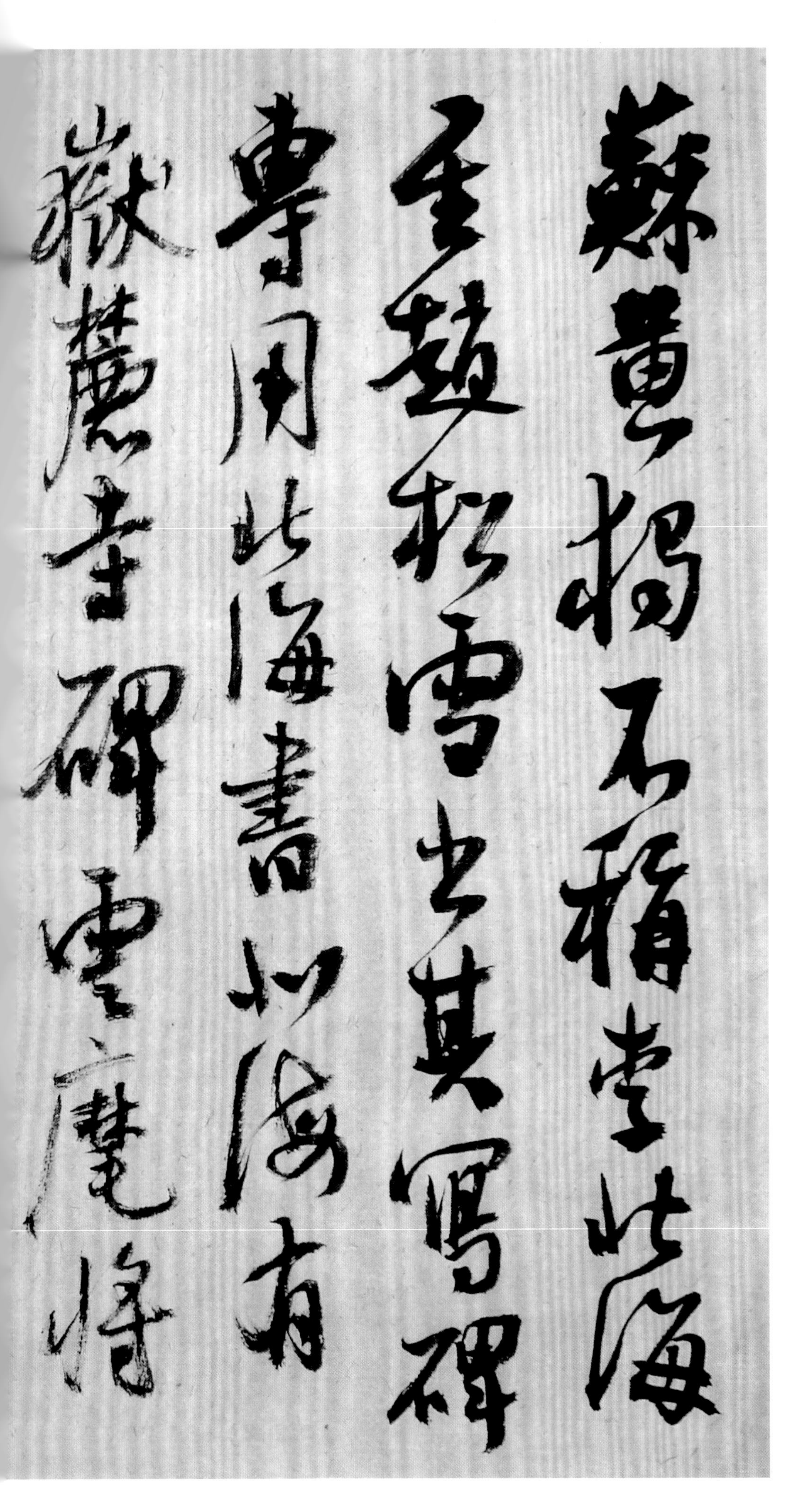

苏、黄独不称李北海。至赵松雪出，其写碑专用北海书。北海有岳麓寺碑，云麾将军碑二本，一李秀，一李昭道也，皆妙。其法华寺与莎罗树，则后人翻刻者耳。

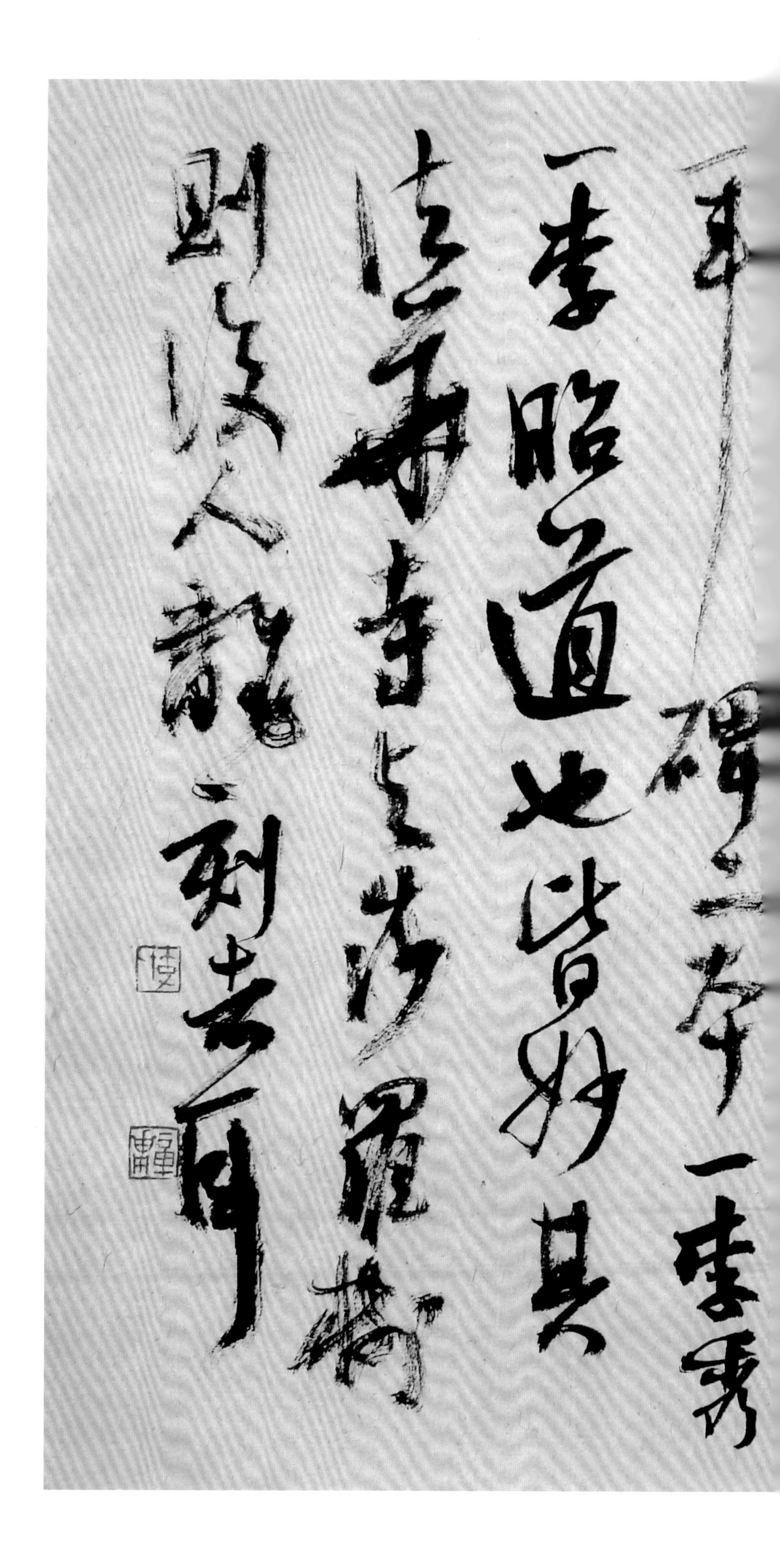

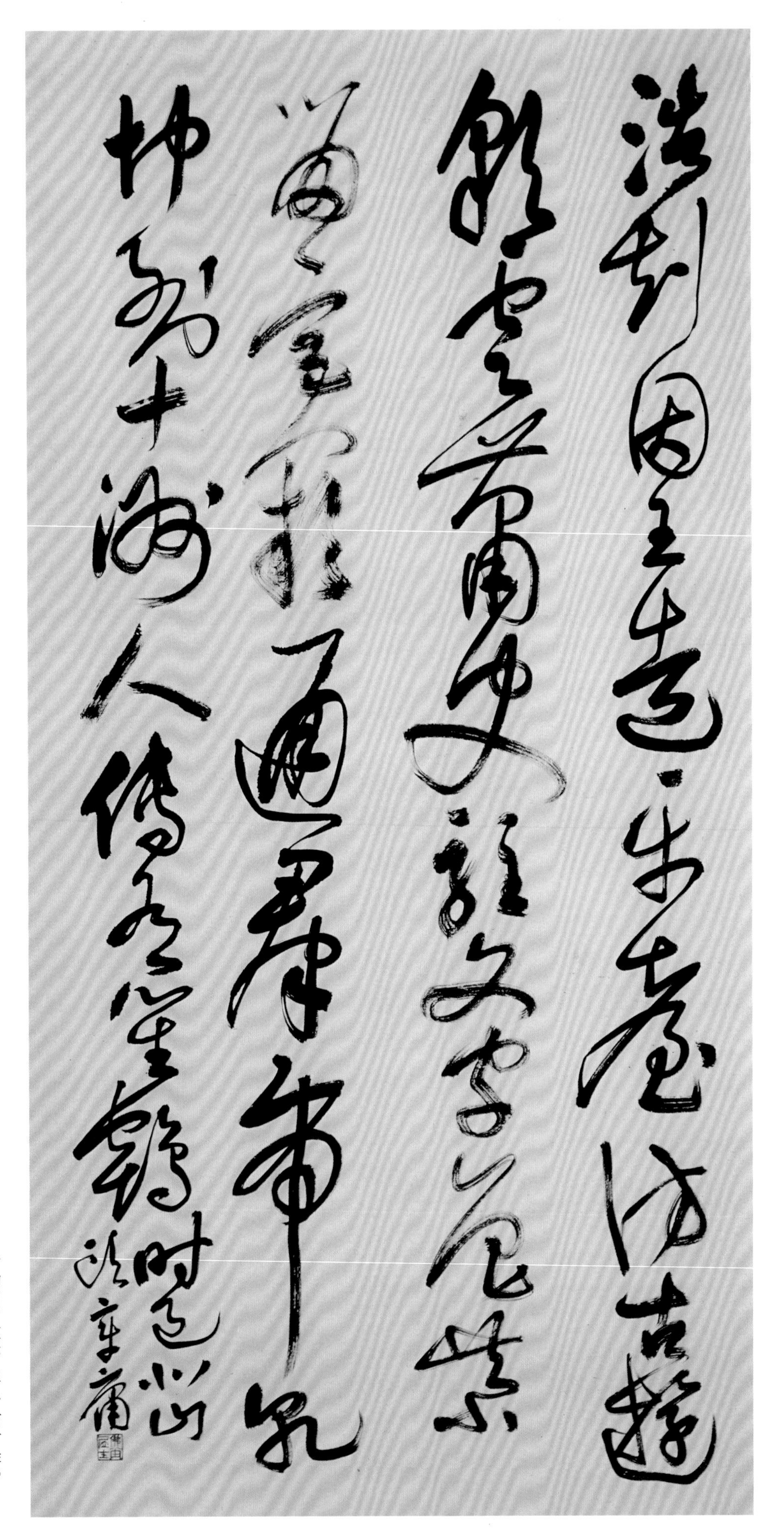

浩劫因王造，平台访古游。
彩云萧史驻，文字鲁恭留。
宫阙通群帝，乾坤到十洲。
人传有笙鹤，时过北山头。

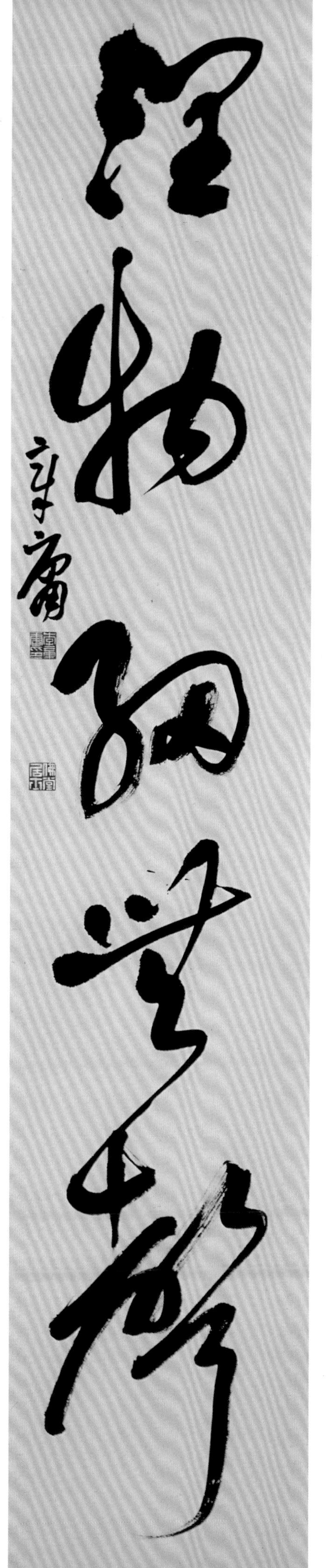

随风潜入夜
润物细无声

郭熙元豐末為顯聖寺悟道者作十三幅大屏高二丈餘山重水復不以雲物映帶筆意不乏余嘗招子瞻兄弟共觀之子由歎息終日以為郭熙

郭熙元丰末为显圣寺悟道者作十三幅大屏，高二丈余，山重水复，不以云物映带，笔意不乏。余尝招子瞻兄弟共观之，子由叹息终日，以为郭熙因为苏才翁家摹六幅李成《骤雨》，从此笔墨大进，观此图乃是老年所作，可贵也。

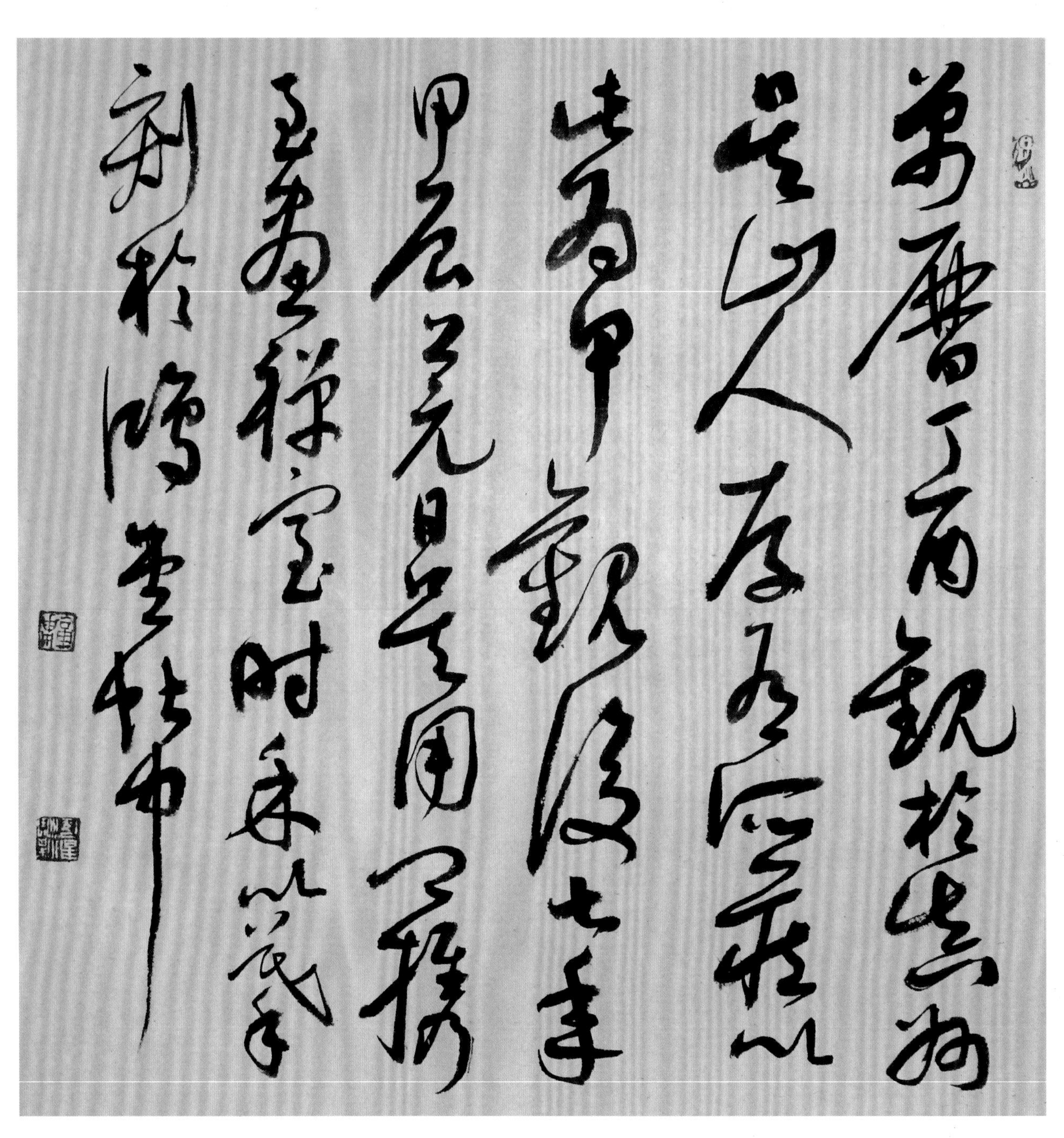

万历丁酉观于真州吴山人存有所藏，以此为甲观。后七年甲辰上元日，吴用卿携至画禅室，时余以摹刻于鸿堂帖中。

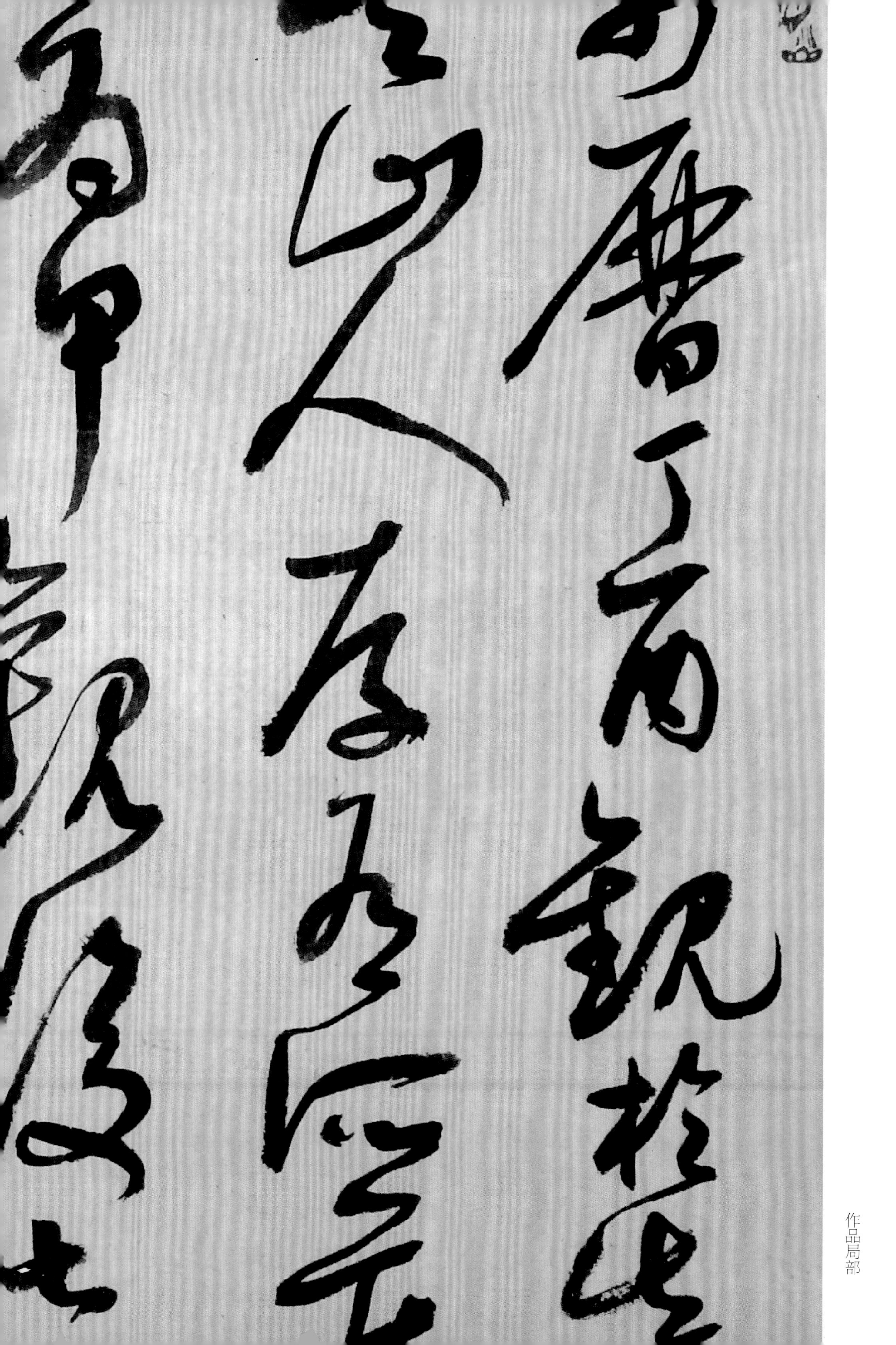

作品局部

薛道祖书，予惟见晴和二像，随事吟三帖。松雪谓脱略唐宋。齐宗前古，陆居仁谓其虽杂于六朝盛唐人书中，当无愧。

見晴和之像
既盼唐宋齊
雄雜於六朝

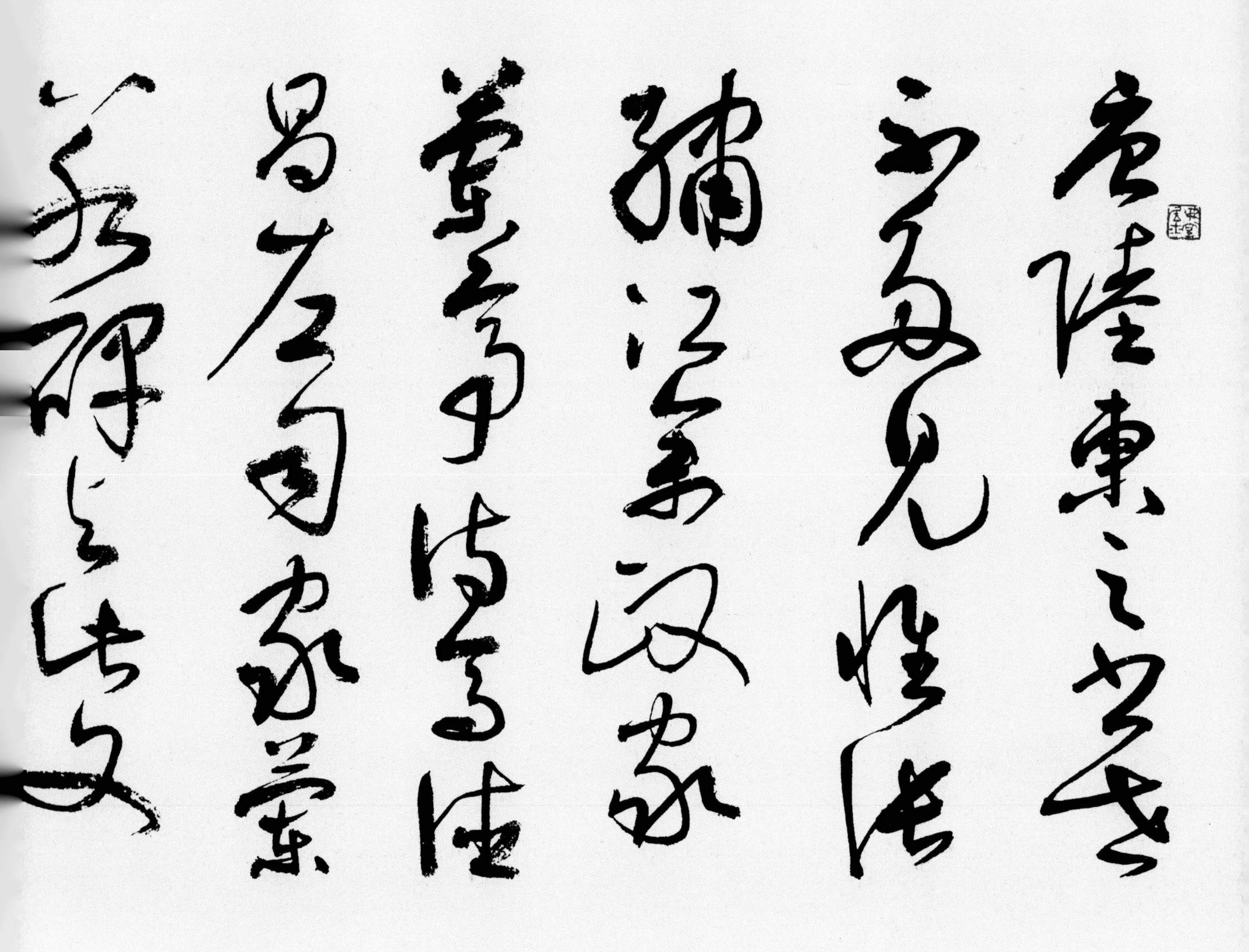

唐陆柬之书，世不多见惟张绣江参政家兰亭诗，马德昌左司家兰若碑与此文赋三卷而已，其笔法皆自兰亭中来，有全体而不变者，识者知之耳。

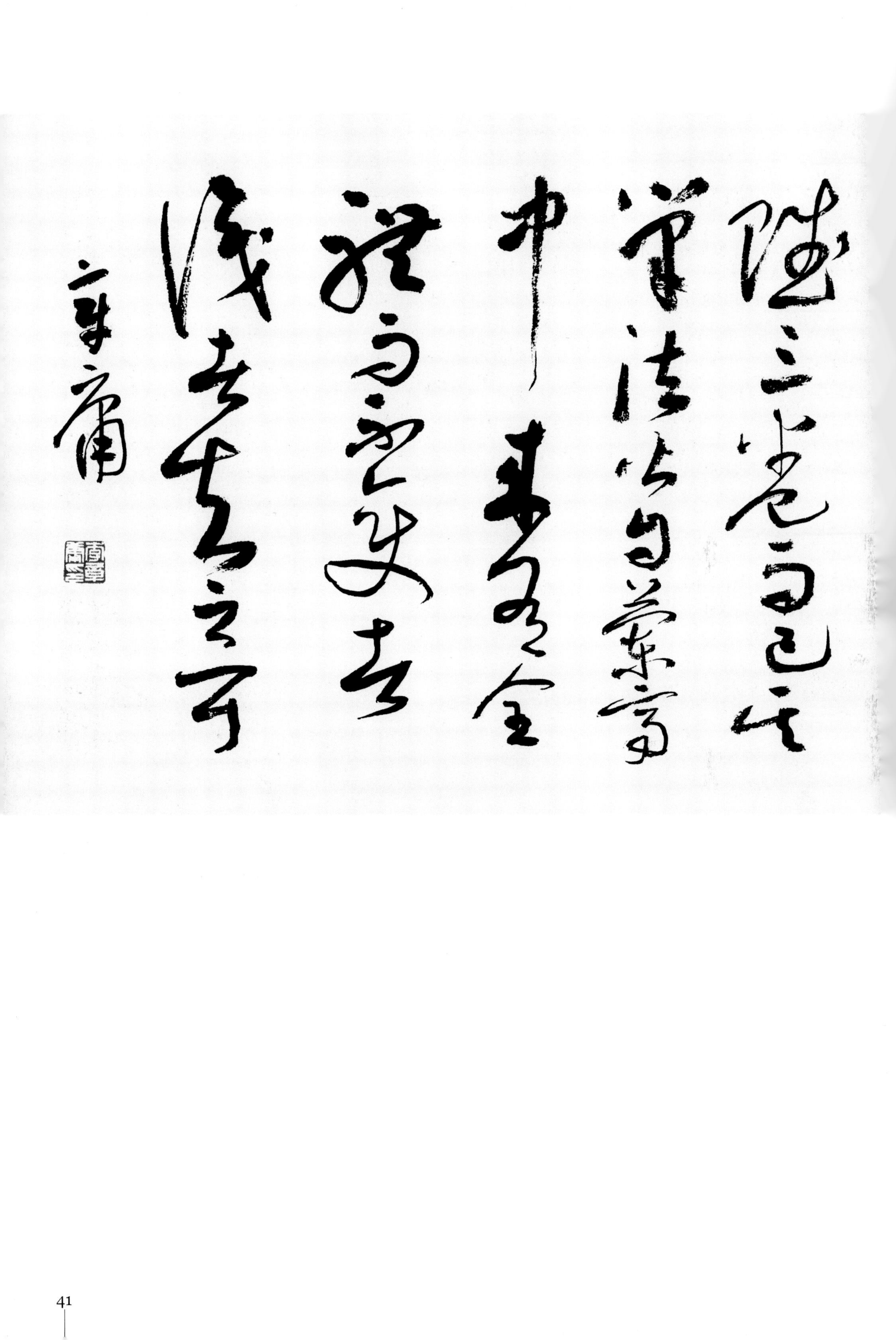

顔魯公平生寫帖惟東方朔畫贊爲清
雄字間櫛比而不失清遠其後見逸
少本乃知魯公字字臨此書雖大小相
懸而氣良是非自得於書未易爲言此也
東坡題顔魯公畫贊　章甫

颜鲁公平生写帖，惟东方朔画赞为清雄。字间栉比而不失清远，其后见逸少本，乃知鲁公字字临此书，虽大小相悬而气良是，非自得于书，未易为言此也。

刘生隐岳阳，心远洞庭水。偃帆入山郭，一宿楚云里。竹映秋馆深，月寒江风起。烟波桂阳接，日夕数千里。袅袅清波（夜）猿，孤舟坐如此。湘中有来雁，雨雪候音旨。

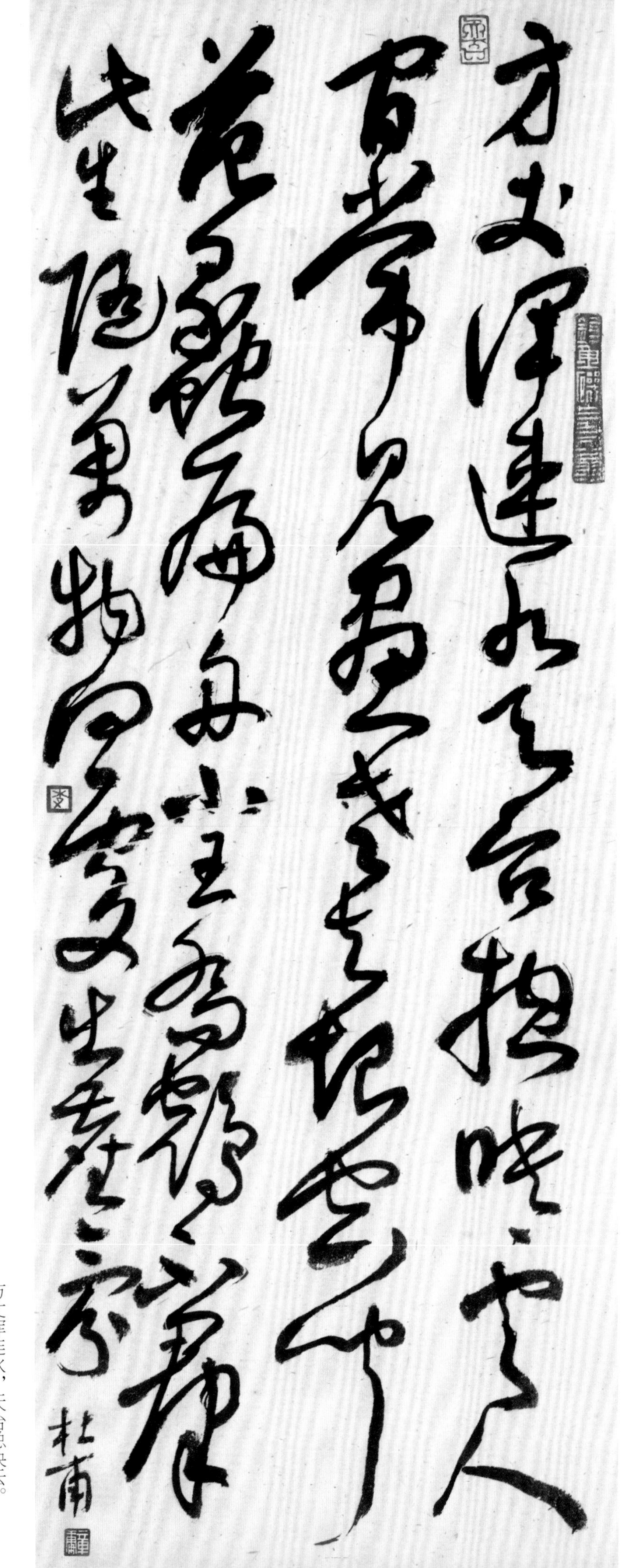

方丈浑连水，天台总映云。
人间常见画，老去恨空闻。
范蠡偏舟小，王乔鹤不群。
此生随万物，何处出尘氛。

光細弦欲上影斜輪未安微升古塞外已映暮雲端河漢不改色關山空自寒庭前有白露暗滿菊花團

杜甫初月 章甫

光细弦欲上，影斜轮未安。
微升古塞外，已映暮云端。
河汉不改色，关山空自寒。
庭前有白露，暗满菊花团。

昨日，长安安师文，出所藏颜鲁公
与定襄郡王书草数纸，比公他书尤
为奇特，信手自然，动有姿态，乃
知瓦注贤于黄金，虽公犹未免也。

七十看花岁已残，始怜梅蕊照衰颜。
河清可道遭逢易，驾俗深渐会合难。
锦绣等闲藏黼芾，骊龙珠抱媚江山。
欲留光彩无穷事，心绪悠悠竹素间。

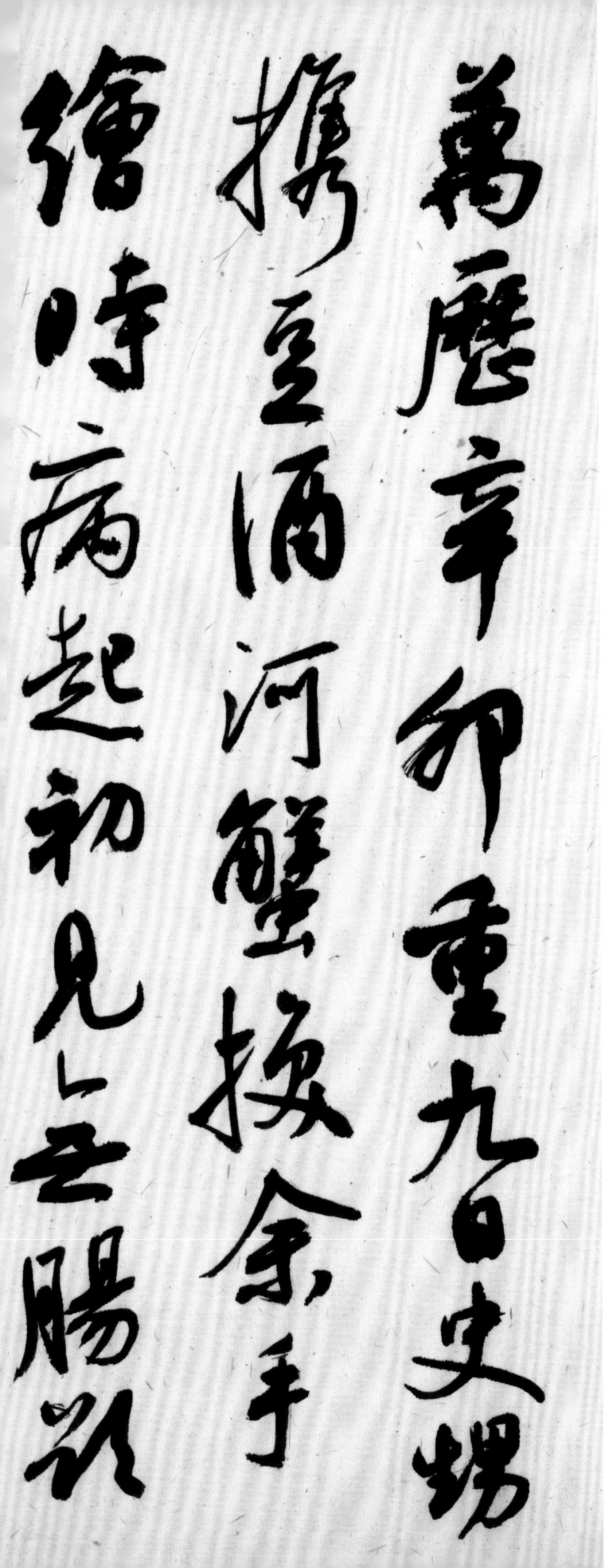

万历辛卯重九日，史甥携豆酒河蟹换余手绘，时病起，初见无肠，欲剥之剧，即煮酒以啖之。偶有旧纸在榻，泼墨数种，聊以塞责，殊不足观耳。

刻々刻印意酒以啖之
偶有舊帛在榻潑
墨數種聊以塞責殊
不足之觀耳

徐渭小品一則 梁菱惠存 章甫

仙人骑白鹿，发短耳何长。
时余采菖蒲，忽见嵩之阳。
稽首求丹经，乃出怀中方。
披读了不悟，归家问嵇康。
嗟余无道骨，发我入太行。

僕嘗見歐陽文忠公云遺教經非逸少筆以其言觀之信若不妄然自逸少在時小兒亂真自不解辨況數百年後傳刻之餘而欲必其真僞難矣顧筆畫精穩自可爲師法 東坡論書章甫

仆尝见欧阳文忠公云：遗教经非逸少笔。以其言观之，信若不妄。然自逸少在时，小儿乱真，自不解辨。况数百年后传刻之余，而欲必其真伪难矣。顾笔画精稳，自可为师法。

吾宗正叔天資善書少時
時書帖奇麗行草下筆縱
橫皆得意最初予評其書
以謂絕倫
而東坡好王聖美將不許予此
論以為正叔書不從鍾元常
王逸少父子法度中來

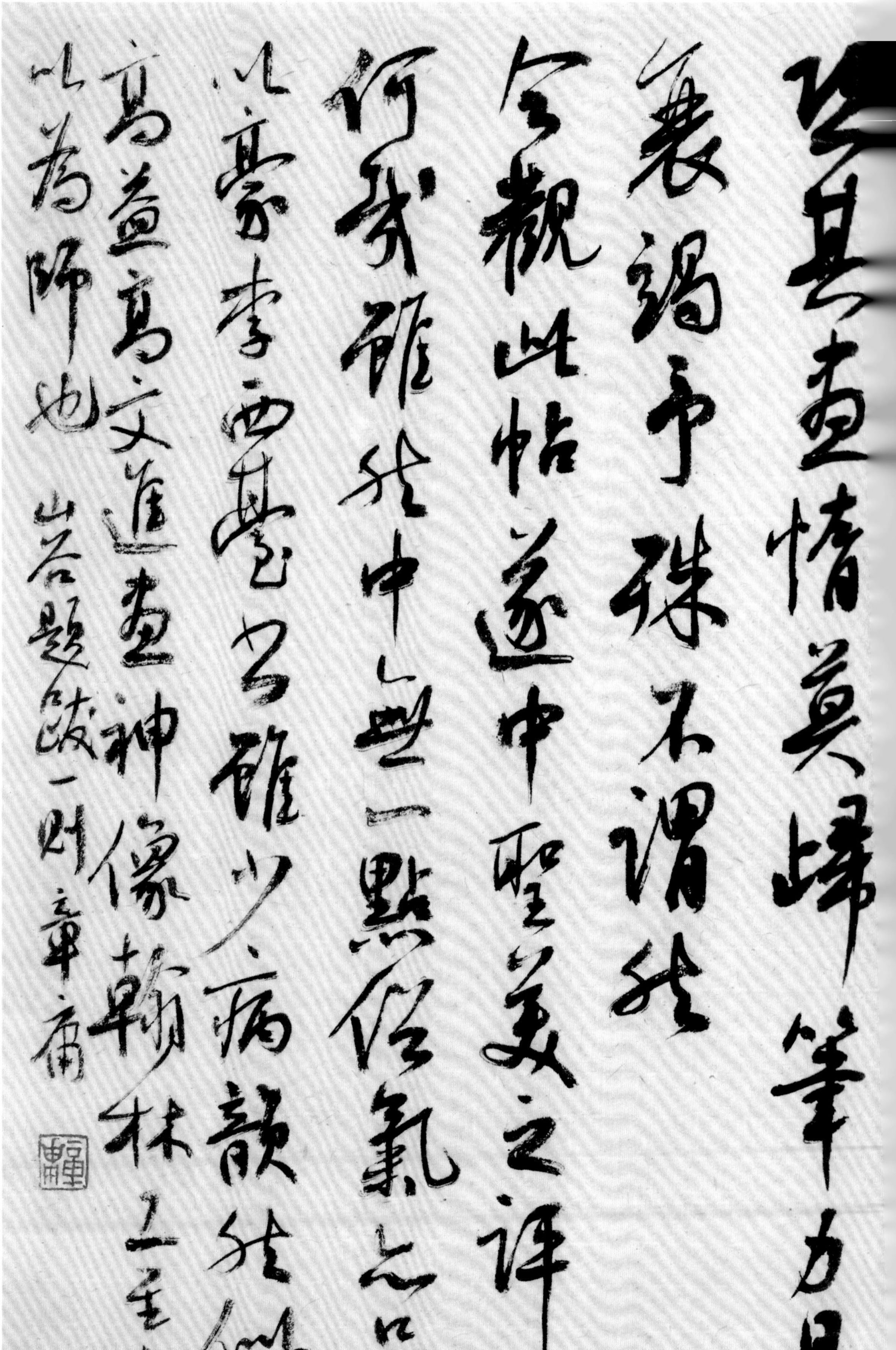

吾宗正叔天资善书，少时（时）书帖奇丽。行草下笔纵横皆得意。最初予评其书以谓绝伦。而东莱、王圣美独不喜予此论，以为正叔书不从钟元常王逸少父子法度中来，恐其昼情莫归，笔力且衰竭，予殊不谓然。今观此贴，遂中圣美之评，何哉？虽然，中无一点俗气，亦足以豪。李西台书虽少病韵，然似高益高文进画神像，翰林工至今以为师也。

关于草圣张颠之臆见

李章庸

唐代自太宗独尊王羲之，并奉之为『书圣』以后，王氏书风大炽，奠定了有唐一代的书法基调。然而趋势之徒，墨守其表；俊彦之士，焕发其内，于是颠张狂素，趁时而出焉。

李颀赠张旭诗曰：『张公性嗜酒，豁达无所营。皓首穷草隶，时称太湖精。露顶据胡床，长叫三五声。兴来洒素壁，挥笔如流星。』高适赠诗亦称曰：『世上漫相识，此翁殊不然。兴来书自圣，醉后语尤颠。白发老闲事，青云在目前。床头一壶酒，能更几回眠。』杜甫《饮中八仙歌》写得更加形象概括：『张旭三杯草圣传，脱帽露顶王公前，挥毫落纸如云烟』。从这些同时代诗人的记叙中，不约而同地把张旭的形象聚焦于酒、书、颠三个字，于是后来的人们，特别在书法界人的印象中，一提起张旭，马上就浮现出一个酗酒发颠作狂草的模样。甚至在一部分人的思想里，好象不会发酒疯就无法写好草书了。我们当然不能怀疑李颀、高适、杜甫们笔下的张旭的真实性，诗歌虽然会有些许夸张的成分，但既然各人所见略同，总体上应该是可信的。问题是张旭的这个草书典型，从『其所以然』的角度上考察，究竟是建立在什么样的基础之上？其人与其书之间究竟有什么必然的内在联系？喝了酒，喝到发了颠，就一定能写好草书吗？或者说，要写好草书，就一定要能喝并且真喝到发颠吗？

我们不妨从另一个层面看看张旭。

张旭字伯高，一字季明，开元初以诗文与贺知章，包融，张若虚并称『吴中四俊』。张旭与贺知章又有姻亲关系。来往甚密，常以诗文唱和。从传世的贺知章草书《孝经》中，我们看得出这位『狂客风流，落笔精绝』的贺知章也同样是位称职的草书家。杜甫所歌张旭和贺知章、李白、崔宗之、苏晋、焦遂、李适之、王琎之『饮中八仙』，无一不是天宝间才华横溢的人物，决不是一般意义上的酒徒。由此我们看到了一个书法圈之外的张旭，是个几乎可以与贺知章、李太白并驾齐驱有作为的诗人和文学家的张旭。于是我们不难想象：如果张旭不好酒，他的草书未必能那样放得开；但同时，如果张旭没有这样精湛的文化素养，『放得开』又会成个什么模样？

有史可稽：张旭的母亲是深得右军书法精髓的初唐四大家之一的虞世南的外孙女，也就是陆柬之的侄女。张旭早年学书，既师从舅父陆彦远（陆柬之子），故其所出处，堪称纯正。这一点，我们从虞世南书《孔子庙堂碑》、陆柬之书《文赋》，张旭书《郎官石柱记》，可以看出一脉相承的明白信息。其次，《颜鲁公述张长史笔法十二意》学界虽多有质疑，但从怀素《藏真帖》『近于洛下偶逢颜尚书真卿，自言颇传长史笔法。闻斯八法，若有所得也』的记载中，虽然我们无法考知『八法』的具体内容，但张旭授笔法予颜真卿，是可以确信的，从中我们也感受得到这位在书法上渊源有自的张旭精研笔法的程度。于是我们又不难想象：如果张旭不好酒，他的草书未必能这样放得开；但同时，如果张旭没有这么纯正的基础和对笔法的精研，『放得开』又会是个什么模样？

人们想象中张旭的狂草体貌，在北宋就有人提出疑问。黄庭坚曾说：『予尝于杨次公家见长史行草三帖，与王子敬不甚相远。盖其姿性颠逸，故谓之张颠，然其书极端正，字字入古法。人闻张颠之名，不知是何种语，故每猖獗之书辄归之长史耳。』唐代的蔡希综在所撰《书法论》中说：张旭『乘兴之后，方肆其笔，或施于壁，或札于屏，则群象自形，有若飞动。议者以为张公亦小王再出。』『小王』就是王献之，也就是黄庭坚说到的王子敬。这样说来，即使张旭酒后的『乘兴』之作，其风貌也并未超出王献之的张扬程度。真的，我们今天能见到的比较可信的张旭书迹，还没有一件能与想象中的颠狂对上号。那么，黄庭坚的见解就相当值得我们深思了。